山菜王国とは 《主旨～ 山菜王国 Facebook グループより抜粋》

　日本各地の野や山には四季折々の山菜や草花が咲き誇り、植物をめぐる様々な知恵や文化が生まれ、人々はそれらを生活に生かしてきました。しかし、最近では大量生産・大量消費の流れの中で人々の生活スタイルが変わってきています。

　それまでは山に入り薪や草を刈ったり、季節の山菜やキノコ、木の実など生活の糧を得てきましたが、その必要がなくなるにつれて、日本人が長年培ってきた、植物に関する豊かで有益な情報が失われつつあります。

　そこで、山菜や野草を主軸に、山菜・野草を愛好する皆さんや、山菜の産地の方々、また関連する専門家が集い、情報交換、発信の場として活用していただきたいと考えこのグループを開設しました。次世代へ日本の貴重な文化を繋ぐためのステップとして、このグループがお役に立てることを願っています。

JN119555

山菜王国 Facebook グループ　リンク先

https://www.facebook.com/groups/2510487022515398/?ref=share

山菜王国の取組み

ステージ 1: エコクラブ

「山菜王国」とはメンバーの一人である炭焼三太郎氏が、それまでの議員生活をやめた後、東京・八王子の仲間と共に、2011 年に**「NPO 法人日本エコクラブ」**をつくったことにはじまる。

　当初は古くからの家業でもあった**炭焼**の保存と普及の活動をはじめたが、その後、この活動の展開をはかるため**「里山エコトピア」**という構想を本にして具体的な活動を始めた。

その拠点として、**「三太郎小屋」**が設立された。

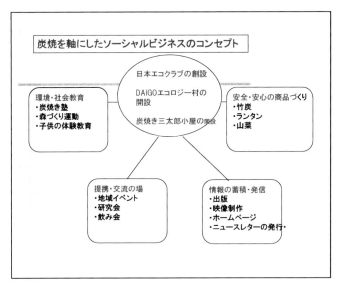

デザイン案

山菜研究所

◎安心の確保、山菜の安全基準の提唱。
◎山菜の安全の基準を定め、基準に基づいて認定。
◎マチムラの山菜・薬草の調査、研究。
◎大学・研究機関と連携して山菜・薬草の提案。

（コピー案）

ステージ 2: 山菜王国プロジェクト

　2015 年頃より「山菜王国プロジェクト」が始まった。当初は「三太郎小屋」の周辺にある山菜を採ってきて、仲間でパーティーをするというものであったが、これを地域資源として活用してはどうかという案がでて、これを産業として位置づけようという書物を刊行することになった。

　これには当時、東京家政大学の中村信也名誉教授、元公立はこだて未来大学の鈴木克也教授なども加わり、「山菜王国」が著された。

　ここで山菜を産業として捉えるには、生産者と消費者が連携することが必要で、これを**「プロシューマー」**と位置づけそれを実践することになった。

　この言葉はアメリカの未来学者アルビン・トフラーか何年も前に唱えたもので、はじめはアメリカの消費者が DIY で行っているような生活様式が一般化するだろうというものだった。しかし現在では、近代化の中で生産者と消費者があまりにも分離しているために起こる問題を反省しようという意味になっている。「山菜王国」はそれを実践する絶好の場だということである。

　「山菜王国」に本格的に取り組むには、次の 3 つの条件が整わなければならないことが議論され、確認された。

① 生産者としては、東京・八王子王子の他、東京・丹波山、岩手・盛岡、青森・鰺ヶ沢、北海道・函館などと連携して、商品調達をする。

② 消費者を組織化する目的を持って、東京や鎌倉で山菜愛好会という研究会をつくり、山菜検定の仕組みをつくった。

③ 生産と消費を結ぶための物流や販売機能が全体としてうまくいかないことが確認された。

生産者と消費者の新しいつながり

生産者の組織化
・各地の生産者のネットワーク
・生産。加工・保存技術の蓄積
・顔の見える生産者

コーディネート機能
・『生産・消費者大学（仮称）
・全体システムの企画・調整
・情報収集・蓄積・発信

ショップの組織化
・農産物の販売・料理の提供
・コミュニティの場の提供
・情報の提供

消費者の組織化
・山菜愛好会（仮称）
・ソーシャルメディアへの参加
・研究会・講習会・セミナー
・イベントへの参加

ステージ 3: 山菜ガーデン

　2020 年、八王子市上恩方森久保地区の町会で、堂山の杉から発生する花粉を何とかしようとの話がもちあがった。恩方は、平家の落人伝説や栃木県の足利学校とゆかりがある歴史的に見ても価値が高い土地である。ここで生まれ育ち、かねてから山菜の普及を目指していた炭焼三太郎氏はその要望に応え、山の木を伐採し山菜ガーデンとして整備することにした。

　ちょうどコロナ禍の最中であったことから、三太郎氏は危機が一時も早く収まるようにという祈りを込めて「祈りの山」と名付けた。

　八王子の映像協会名誉会長・西澤幹夫氏から、やはりコロナ終焉を祈念して、桜の苗木が寄贈されることとなった。祈りの山のすぐ脇を流れる醍醐川が、岡山の天然記念物の桜と同じ名前ということから、「醍醐の桜」と呼ぶこととし、山の頂上に植樹した。また、あきる野市議会議員・清水あきら氏より「あきらの桜」を、山下造園から幸運の木「オガタマ」を、また日本エコクラブからは河津桜をそれぞれ寄贈され、山の入り口と中腹に植樹。オガタマを祈りの山のシンボルツリーとした。

花木の合間合間には、明日葉、韃靼そば、ふきのとう、赤紫蘇など 80 種類の山菜が植えられている。

　今現在、山菜はランダムに植栽されているが、将来的には系統立てて山菜ミュージアムのようにするプランも検討中である。

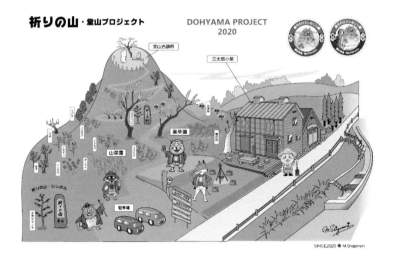

祈りの山・堂山プロジェクト　DOHYAMA PROJECT 2020

SINCE2020 ● M.Shigemori

　この山菜ガーデンは地域活性化のモデルとするため**「一坪農園」**の試みを導入しており、自分専用の農地を所有できる制度を取り入れている。

　また、青年の移住による**「恩方ロマンのこし隊」**に炭焼小屋の利用を許可することも考えている

　更に、各種イベントの企画や施。設の貸付け等、地域活性化に役立ててもらうことも検討している。

恩方ロマンのこし隊

ミニジープで里山をめぐる。

＜宇宙太郎の桜＞

旅の途中で三太郎の
＜ずり出しうどん＞

幸せ。パワー
スポット宇宙
太郎。ふみえさん。
そこから生まれた
宇宙堆肥だ!!

宇宙堆肥

100 年後、
男 西澤幹夫は、醍醐の桜と
ともに生きてる。
＜醍醐の桜＞

＜祈りの山・堂山＞

祈りの山に自生する山菜

（ハハコグサ）　　　　　（ヨモギ）　　　　　　（コセンダングサ）

（チャノキ）　　　　　　（ウド）　　　　　　　（アザミ）

（セイタカアワダチソウ）　　（タネツケバナ）　　（タラの木）

（クサギ）　　（ベニバナボロギク）　　（ギシギシ）

（その他の山菜）

春：　ウルイ　フキノトウ　ハルジオン　ワラビ　ゼンマイ　ツクシ　ノゲシ
　　　カキドオシ　カンゾウ　、フキノトウ、タラの芽

夏：　アカメガシワ　オオバ　ドクダミ　ツユクサ

秋：　マイタケ　シイタケ　キクイモ

冬：　スイバ　セリ　ハコベ　ヤマノイモ　ユズ

通年：　アシタバ　ワサビ　ユキノシタ

山菜王国のアクティビティ
（山菜パーティ）

採集した山菜の天ぷら

　毎年、春と秋には東京・八王子恩方で、地元の人も招いて，山菜パーティが開催されている。2020 年はコロナのために関係者だけで実施することになり、合わせて「山菜座談会」を開催し、恩方地区の地域活性化について話合いが行われた。

(CHIMIRI FARM)

地方や郊外にある遊休農園を活用して新しい農業の取組みを始めている。

CHIMIRI ファームのタラの木

CHIMIRI ファームのイチゴ

2021 年 1 月、八王子市下恩方町にて、山菜三郎さん(代表)、小林律子さん、田中美咲さんの 3 名による環境と人に優しい農園がスタートした。

農園の名前は 3 人の頭文字をとって CHIMIRI　FARM　と名付けられた。

農園の基本コンセプトは 3 つ。

①　有機農産物(野菜、山野草)を育て収穫し、美味しく調理して、人々の自己免疫力を高める健康増進提供の場。

②　実際の山野草を 1 カ所で観察できる教育の場。

③　山野草の薬膳利用としての研究・レシピ開発の場。

また、同年 5 月 3 日に同じ恩方にある炭焼三太郎小屋 1 階にて、スリランカカレーを提供するレストラン「シナモン・醍醐」をオープン予定にしており、メニューに山菜カレーを入れて、山菜の薬膳利用の PR 発信をする計画である。

（山菜愛好会）

鎌倉のレストランで行われた山菜交流会の様子

　山菜を愛好する人を増やし、仲間の交流を図るため、鎌倉、八王子、東京などで月1回程度の交流会を開いている。

　山菜検定や料理研究会と兼ねる場合もある。

（山菜検定）

　山菜の知識を持つ人や、山菜を愛好する人を増やしていくために「山菜検定制度」を導入している。

　山菜の基礎知識や現物を見分ける力を問う初級、中級クラスから最終的には山菜の薬膳的知識まで出題される博士級クラスまで、5段階が用意されている。

国際薬膳山菜検定について

段階	試験の名称	試験の内容	合格者称号
1st step	山菜基礎知識級	知識力（48種、ペーパー試験）	山菜知識者
2nd step	山菜基礎鑑定級	現物を見分け力（現場）	山菜鑑定者
3rd step	山菜応用達人級	100種の現場・料理中食材の見分け力	山菜達人
4th step	山菜応用名人級	創作料理力（指定山菜で創作料理をする）	山菜名人
5th step	山菜最上級博士級	漢方薬力（山菜の漢方名と効能を当て）	山菜博士

合格基準は概ね四分の三（75%）以上です。

薬膳

薬膳とは山菜や薬用植物（薬草）を含む旬の食材を取り入れた食事のことをいう。

もともとは中国が発祥であるが、中華料理に限らず、日本にある材料の中から陰陽五行論に基づいて食材を選び出し、料理をすることが大切である。

また薬膳には体質を考慮せず健康的な生活を楽しむための「養生薬膳」、体質を考慮し提供される「治療薬膳」の2種類がある。

山菜王国では「養生薬膳」を基本に、「日本における薬膳」を意図した活動を推進していきたいと思っている。

薬膳

薬膳としての野菜、山菜	
1 月	銀杏、小松菜、白菜、葉ねぎ、下仁田ねぎ、カリフラワー、大根、蓮根、キャベツ、セロリ
2 月	蕗の薹、ブロッコリー、わさび菜、青海苔、からし菜、壬生菜、春菊、くわい
3 月	せり、芽キャベツ、独活、グリンピース、セロリ、わけぎ、菜の花、つくし
4 月	筍、しいたけ、にんにく、三つ葉、にら、蕗、キャベツ、えんどう豆
5 月	きゅうり、アスパラガス、じゃがいも、そら豆、えんどう豆、絹さや、わらび、山椒の実、茶
6 月	いんげん豆、玉ねぎ、じゃがいも、人参
7 月	蕗、苦瓜、紫蘇、ピーマン、とうもろこし、レタス、茄子、ずいき
8 月	トマト、枝豆、南瓜、オクラ、冬瓜、茗荷、モロヘイヤ、生姜
9 月	しめじ、らっきょう、ハヤトウリ、菊花、さつまいも、えのき茸
10 月	里芋、海老芋、椎茸、舞茸、しめじ、蓮根、米、落花生、銀杏
11 月	牛蒡、大根、八つ頭、キャベツ、青梗菜
12 月	春菊、ねぎ、山芋、百合根、大根、かぶ、人参、ほうれん草、じゃがいも

（山菜ツアー）

各地の方々と交流を図り、将来のネットワーク化に備えるため年1〜2回のツアーを行っている。訪れた場所を写真でご紹介する。

（秋田）

熊鍋と山菜料理

青森県鰺ヶ沢町

山形県鶴岡市

IMG_2213.JPG

山梨県丹波山村

北海道北見市

（山菜料理研究会）

料理研究家寺岡美智子さん監修による山菜料理

わらびとホタテのパスタ風うどん

〔材料〕

冷凍うどん	1玉
ベビーホタテ	3〜4コ
わらび	5〜6本
オリーブオイル	大2
ニンニク	1片
塩・こしょう	少々
バター	5g
三葉（飾り用）	1葉

〔作り方〕

① わらびは2〜3cm、ニンニクはみじん切りにする。

② フライパンにオリーブオイルを熱し①のニンニクを炒める。香りが立ったら切ったわらびとホタテを炒める。

③ 電子レンジでうどんを解凍し②に加えて炒める。塩こしょうで味付けし、最後の際にバターを入れて溶かし風味付けをする。

④ 皿に盛りつけ、三葉を飾る。

ミズとさつま揚げの油炒め

2014 09 02

〔材料〕

ミズ	1束
さつま揚げ	2枚
サラダ油	大1
めんつゆ	大2〜3

〔作り方〕

① ミズは葉とスジを取り除き3cm位の長さにしてさっと湯がく。さつま揚げは5mm程の厚さに切る。

② フライパンにサラダ油を熱し①を炒め、めんつゆで味付けする。

こごみと海苔佃煮の和え物

〔材料〕
こごみ　　　　100g
海苔佃煮、　　大1/2
レモン汁　　　少々

〔作り方〕
①こごみはさっと湯がいて一口大に切る.
②①に海苔佃煮とレモン汁を加えて混ぜ合わせる.

こんにゃく刺身

　薬膳を含めて山菜を手軽に楽しむために、山菜料理のレシピを開発した

り、それらを食することができる専門店があるとよいと考えている。

身近にある健康によい山菜・薬草

（明日葉：アシタバ）

アシタバの混ぜご飯

由来： 伊豆諸島を始め、関東、紀伊半島、九州の沿岸に生息する生命力の強い山菜。うまく種をまいたり移植をすれば、山の中でも育つ。

秦の始皇帝が日本に長寿の薬草があるとして探させた野草がアシタバだと言われている。伊豆諸島の住民が長命であったことから「長寿草」とも呼ばれている。

成分・効能： アシタバには20数種類ものビタミン、ミネラルが含まれている。茎を折ると黄色いネバネバした液体が浸出してくるが、これが近年アシタバ特有の成分として注目されているカルコンで、抗菌、抗酸化、抗炎症作用がある。動物実験では血糖値上昇を抑制する効果も認められ、人間に於いてもインシュリンに似た働きをすることが期待されている。造血ビタミンと呼ばれるビタミンB12が含まれ、地上の植物でこれを含むのはアシタバだけと言われている。

（韃靼そば）

由来：北半球の山岳地帯で広く栽培される韃靼そばは、普通そばよりもさらに厳しい環境でも育つ。原産地とされる中国雲南省をはじめ、貴州省、四川省、山西省、内モンゴル自治区、インド、ネパール周辺の標高 1500m〜4000m の高地で栽培されている。「ダッタン」とはモンゴルの一部族「タタール」が語源であり、タタール人が好んで食べていたという。

成分・効能 ：韃靼そばは、健康食として人気のある普通そばや、他の穀物と比べても更に栄養成分が多い。特に多いのがビタミン類で、心臓病の予防に効果的と言われるビタミン B1、高血圧や動脈硬化を防ぐビタミン B2 などがあげられる。韃靼そばのルチン含有量は普通そばの 50 倍〜100 倍。心疾患、糖尿病、認知症の予防や毛細血管を強くし血流を良くする健康効果がある。

（ベニバナボロギク）

由来； 台湾や南洋諸島で生育しており、第二次世界大戦時に軍人が戦地で食べたことから「南洋春菊」と呼ばれていた。台湾では今でも「昭和草」と呼ばれている。日本で確認されたのは戦後、昭和24年に九州で初めて発見された。

成分・効能： クエルチン配合剤が含まれており、抗酸化作用、抗炎症作用、抗動脈硬化作用、脳血管作用、抗腫瘍効果、抗血管弛緩作用が期待される。利尿、解熱、乳腺炎、消化不良に効果があるとも言われている。

料理 ： セリと春菊を合わせたような香りは肉料理との相性が良い。アク抜きの必要が無く、食感も柔らかで使い勝手の良い山菜である。

＜写真左＞豚肉とベニバナボロギクを油で炒めてガーリック醤油で味付け。

＜写真右＞タンドリーチキンに生のベニバナボロギクを添えて。

どちらも肉がさっぱりと食べられる。

（クサギ）

くさぎなかけ飯

由来; シソ科の落葉高木 若葉を茹でて乾燥させたものは冬の保存食として、山陰、四国、奄美を含む九州地方では古くから山菜として食べられてきた。

効能; 葉や小枝を乾燥させたものは、生薬名を臭悟桐（シュウゴトウ）という。緩和で持続的な血圧降下作用があり、高血圧に伴う息切れ、頭痛、めまいなどの症状を和らげる。リュウマチ性の麻痺、痛みに良いとされるほか、慢性気管支炎、鎮静作用による不眠症改善、健胃整腸の効果もある。

中国地方の長寿の村で、クサギの若芽を日常的に食べることが長生きの秘訣と知った人がクサギを粉末化し飲み続けたところ、病気にかからず、かかっても治りが早くなった。滋養強壮効果を実感したということである。

料理; 茹でてアク抜きをしたものをそのまま料理して食べることができる。苦みがあるので、佃煮など濃い目の味付けが向く。お茶としての利用も可。

クサギのナムル

（セイタカアワダチソウ）

セイタカアワダチソウのチャンプルー

セイタカアワダチソウの白和え

由来：北アメリカ原産のキク科多年草

明治 30 年頃に観賞用、蜜源植物として日本に導入されたと言われるが、急速に広まったのは 1940 年以降である。

アメリカではネイティヴアメリカンの重要な薬草とされ、民間薬として用いられてきた歴史がある。

効能：セイタカアワダチソウに含まれるポリフェノールには、クロロゲン酸と 3.5 ジカフェオイルキナ酸という成分があり、以下のような効果がある。

クロロゲン酸　　：抗酸化作用　肝機能保護作用　抗がん作用

3.5 ジカフェオイルキナ酸　：発がん抑制　抗エイズ作用　血糖値上昇抑制効果。デトックス作用が強く、薬湯として使えばアトピー性皮膚炎を改善させるとも言われている。

料理；苦味とキク科特有の芳香を生かした料理素材として使うことができる。苦みがとても強いので、十分なアク抜きが必要。

（キクイモ）

由来: キクイモは北アメリカ原産のキク科の植物で、江戸時代後期にイギリスから渡来したとされている。

成分； キクイモの主成分「イヌリン」には、血糖値を下げる作用がある

キクイモのフリット

ことから「天然のインスリン」と呼ばれ、糖尿病をはじめとする生活習慣病予防に効果がある。

キクイモは、ふつうイモ類に多いでんぷんをほとんど含まないため、ダイエットを心掛ける人にはうれしい低エネルギー食品でもある。

また、ナトリウムの吸収を抑えて排泄を促す働きのあるカリウムの含有量も多く、血圧の上昇を抑える効果が期待できるほか、ビタミン、カルシウムなどのミネラルの相互作用により、血流改善、腎機能を高めるなど様々な健康効果があることが報告されている。

料理： キクイモは和食、洋食、中華など各国料理以外に利用できる。パウダー状に加工したものはスイーツの原料にもなる。

また、医薬品としての研究も進んでいる。

これからの課題

山菜王国のこれからの課題は次のとおりである。

(1)山菜王国モデルの構築

山菜の生産者・消費者・流通の 3 者の全体を整合性をもって継続的に動かしていくためのモデルを形成する。

(2)「山菜ガーデン」のレベルアップ

山菜ガーデンに**ミュージアム(博物館)**機能を持たせ魅力あるものにする。移動やイベント開催ためキッチンカーの導入も検討する。

(3)商品ラインの拡充

継続的な事業とするため、商品ラインを拡充する。メニューには広い意味での山菜である薬用植物(薬草)も加えることによって付加価値を高める。

山菜に関する資料を収集し、絶えず新鮮な情報を発信するとともに、各地に点在するメンバーをネットワーク化する拠点としての機能を発揮する。新たな商品ラインやレシピ開発に努力する。

(4)山菜ネットの構築

全国各地で山菜に関連して活動している人に呼びかけ、交流をはかる。将来**サミット**が開催できるようにする。

山菜王国のこれからの課題

山菜王国のビジネススキーム

・ソーシャルビジネス
・生産消費者大学
・コーディネート機能
コーディネートソーシャルビ

山菜ガーデンの拡充

・祈りの山の整備
・山菜ミュージアム
・料理店、キッチンカー

商品ラインの拡充

・薬草・キノコの追加
・山菜研究所の設立

山菜王国ネット

・山菜ツアー
・山菜イベント
・山菜サミット

原生應用植物園（台湾）
台東から車で30分ほどの薬草を主体とした植物園。附属のレストランでの薬草鍋バイキングが人気。
山菜ガーデンのモデルとして、こんな薬草園はいかがだろうか？！

山菜・薬草の効能

病名	薬草名	部位	病名	薬草名	部位
健胃	ハブソウ	種子	便秘	ニンニク	地下鱗茎
	ヒキオコシ	全草		ヒルガオ	根
	ヨモギ	葉	高血圧	アシタバ	葉茎
	リンドウ	根		ドクダミ	全草
	サンショウ	果皮		クワ	根皮
	ニクケイ	根皮	止血	イタドリ	根茎
食欲不振	オウレン	根茎		クチナシ	果実
	センブリ	全草	浄血	イノコズチ	根
	ヒキオコシ	全草		スベリヒユ	葉茎
	リンドウ	根		センキュウ	葉茎
消化不良	センブリ	全草		トウキ	根
	リンドウ	根		ハコベ	全草
	イチジク	果実		ヨモギ	葉
食あたり	ツワブキ	全草		クワ	根皮
腹痛	ヨモギ	葉		スイカズラ	花
はきけ	カラスビシャク	球茎		ボタン	根皮
下痢	オウレン	根茎	駆風	ウイキョウ	果実
	オオバコ	種子	糖尿病	カキドウシ	全草
	キンミズヒキ	全草		ヒルガオ	全草
	ゲンノショウコ	全草		フジバカマ	全草
	ツワブキ	全草	貧血	センキュウ	根茎
便通	ドクダミ	全草		ヨモギ	葉
	イチジク	果実	補血	トウキ	根
綏下	アシタバ	葉茎	低血圧	クコ	葉、果実、根皮
	エビスグサ	種子	神経痛	イノコズチ	根
便秘	イタドリ	根茎		フジバカマ	全草
	エビスグサ	種子		イチジク	葉
	ツルドクダミ	根茎		ニクケイ	根皮

病名	薬草名	部位
消炎	ウツボグサ	花穂
	ハトムギ	種子
	ヨモギ	葉
	クチナシ	果実
	クワ	根皮
	サンショウ	果皮
	ボタン	根皮
かぜ	カキドウシ	全草
発汗	ウイキョウ	果実
	クズ	根
	ニンニク	地下鱗茎
	ハマボウフウ	根
	ニクケイ	根皮
	ニワトコ	花
解熱	クズ	根
	ハマボウフウ	根
	フジバカマ	全草
	ミシマサイコ	根
	クコ	葉、果実、根皮
	スイカズラ	葉、花
	ニクケイ	根皮
	ニワトコ	花
	ボタン	根皮
せき	アロエ	葉
	オオバコ	種子
	カンゾウ	根茎
	キキョウ	根
	ジャノヒゲ	根茎

病名	薬草名	部位
せき	クワ	根皮
	ナツメ	果肉
	ナンテン	果実
たん切り	カンゾウ	根茎
	キキョウ	根
	ジャノヒゲ	根茎
ぜんそく	アロエ	葉
肝臓病	カキドウシ	全草
	スベリヒユ	全草
肝炎	カワラヨモギ	全草
黄疸	カワラヨモギ	全草
	フジバカマ	全草
大腸炎	ゲンノショウコ	全草
整腸	ツルドクダミ	根茎
	ニクケイ	根皮
動脈硬化	ヒマワリ	種子
	クコ	葉、果実
	クワ	根皮
胃炎	オウレン	根茎
	カラスビシャク	球茎
	カンゾウ	根茎
	センブリ	全草
	タンポポ	全草
	ヒキオコシ	全草
健胃	ウイキョウ	果実
	オウレン	根茎
	ツワブキ	全草
	ニンニク	地下